Marie-Lune

2

Au secours,
j'ai perdu
ma meilleure amie !

scénario
Douyé

dessin
Yllya

couleurs
Fleur D.

VENTS D'OUEST

Mille mercis aux fans de Marie-Lune,
à Yllya,
à Jacky

À Lily et Nina... mes petites Pauline !

Sylvia Douyé

Encore une fois un énorme merci à Sylvia et à Fleur, sans qui rien n'aurait été possible.
Merci à Saboten qui a dû me supporter une fois de plus.
Merci à ma famille, à mes amis et à tous ceux qui ont lu le tome 1.

Yllya

Le site de Marie-Lune :
http://marielune3.canalblog.com/

Retrouve Marie-Lune sur sa page Facebook :
http://www.facebook.com/pages/Marie-Lune/35635638954

Couvent Sainte Cécile
37, rue Servan
38000 Grenoble.

www.ventsdouest.com

Dépôt légal : février 2010
ISBN : 978-2-7493-0560-8
Achevé d'imprimer en France en juillet 2013 par Pollina, L65004,
sur papier provenant de forêts gérées de manière durable.

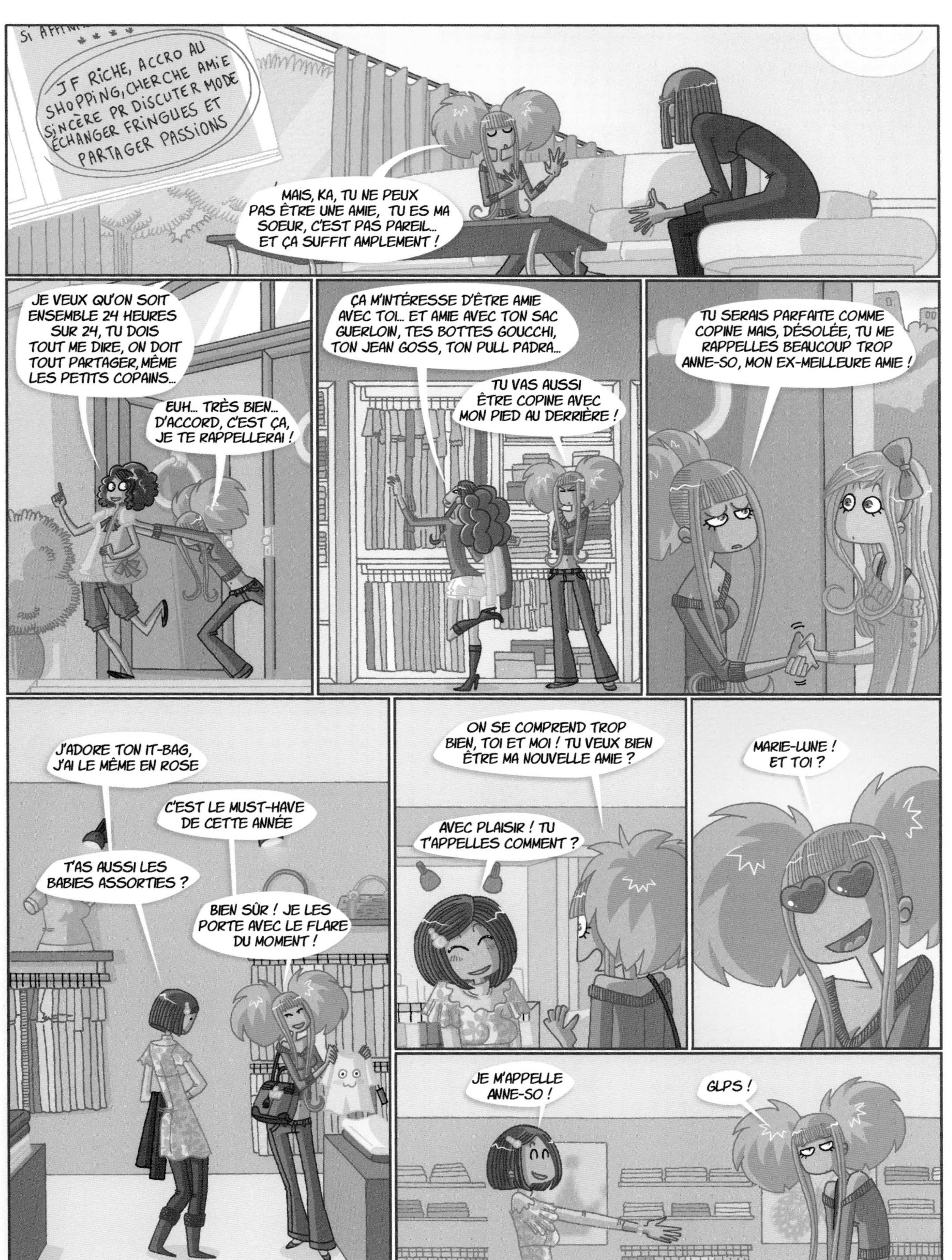
JF RICHE, ACCRO AU SHOPPING, CHERCHE AMIE SINCÈRE PR DISCUTER MODE ÉCHANGER FRINGUES ET PARTAGER PASSIONS
MAIS, KA, TU NE PEUX PAS ÊTRE UNE AMIE, TU ES MA SOEUR, C'EST PAS PAREIL... ET ÇA SUFFIT AMPLEMENT !
JE VEUX QU'ON SOIT ENSEMBLE 24 HEURES SUR 24, TU DOIS TOUT ME DIRE, ON DOIT TOUT PARTAGER, MÊME LES PETITS COPAINS...
EUH... TRÈS BIEN... D'ACCORD, C'EST ÇA, JE TE RAPPELLERAI !
ÇA M'INTÉRESSE D'ÊTRE AMIE AVEC TOI... ET AMIE AVEC TON SAC GUERLOIN, TES BOTTES GOUCCHI, TON JEAN GOSS, TON PULL PADRA...
TU VAS AUSSI ÊTRE COPINE AVEC MON PIED AU DERRIÈRE !
TU SERAIS PARFAITE COMME COPINE MAIS, DÉSOLÉE, TU ME RAPPELLES BEAUCOUP TROP ANNE-SO, MON EX-MEILLEURE AMIE !
J'ADORE TON IT-BAG, J'AI LE MÊME EN ROSE
C'EST LE MUST-HAVE DE CETTE ANNÉE
T'AS AUSSI LES BABIES ASSORTIES ?
BIEN SÛR ! JE LES PORTE AVEC LE FLARE DU MOMENT !
ON SE COMPREND TROP BIEN, TOI ET MOI ! TU VEUX BIEN ÊTRE MA NOUVELLE AMIE ?
AVEC PLAISIR ! TU T'APPELLES COMMENT ?
MARIE-LUNE ! ET TOI ?
JE M'APPELLE ANNE-SO !
GLPS !

ANNE-SO ET MOI ÉTIONS LES MEILLEURES AMIES DU MONDE
TU ME DONNES L'ADRESSE DE TON STYLISTE ?
ÇA T'INTÉRESSE ?
OUI... JE VEUX TE RESSEMBLER TELLEMENT TU ES JOLIE !
ET PUIS ELLE A DÉCOUVERT UN TERRIBLE SECRET SUR MOI
TU VAS ME LE PAYER, MARIE-LUNE !
DEPUIS, ON NE SE PARLE PLUS !
JE SUIS SÛRE QU'ELLE A TOUT RACONTÉ AUX AUTRES
RACONTAGE DE POTINS, J'ÉCOUTE ?
ET DONC, TU CROIS QUE C'EST POUR ÇA QUE TOUT LE MONDE TE REGARDE BIZARREMENT ?
BEN OUI ! POUR QUOI D'AUTRE, À TON AVIS ?

TIENS, JE TE RENDS LES FRINGUES QUE TU M'AVAIS PRÊTÉES !
ALORS... TOUT EST VRAIMENT FINI ENTRE NOUS ?
AH OUI ! ET C'EST DE TA FAUTE, MA VIEILLE ! UNIQUEMENT DE TA FAUTE !
SI TU AVAIS ÉTÉ UNE VRAIE AMIE, TU N'AURAIS PAS EU DE SECRET POUR MOI !
SI TU AVAIS ÉTÉ UNE VRAIE AMIE, TU N'EN AURAIS RIEN À FAIRE DU MÉTIER DE MON PÈRE !
JE M'EN MOQUE DE CE QUE FAIT TON PÈRE ! TU NE M'AS PAS FAIT CONFIANCE, C'EST ÇA QUI EST IMPORTANT, ET C'EST POUR ÇA QUE JE NE VEUX PLUS TE PARLER !
TU VEUX DIRE QUE... TOI... UNE PRINCESSE... TU M'AURAIS QUAND MÊME FRÉQUENTÉE SI TU AVAIS SU QUE MON PÈRE AVAIT FAIT FORTUNE DANS LE PAPIER TOILETTE ?
BIEN SÛR ! JE NE SUIS PAS AUSSI SNOB QUE TU VEUX LE CROIRE...
COMMENT PUIS-JE ME FAIRE PARDONNER ?
TU AS TOUT GÂCHÉ, C'EST TROP TARD !
OOOOH ! TU ME SUPPLIES À GENOUX ?
CHUUUUUUT ! JE VÉRIFIE S'IL N'Y A PERSONNE POUR SURPRENDRE NOTRE CONVERSATION !
IN-CO-RRI-GIBLE !

ENTRE ANNE-SO ET MOI, JE CROIS, BIEN QUE LA GUERRE EST DÉCLARÉE
OUTCH !
QUELLE FORCE, ANNE-SO !
IL FUT UN TEMPS OÙ J'APPRÉCIAIS CETTE FORCE
HEUREUSEMENT QUE TU ÉTAIS AVEC MOI, JE N'AURAIS JAMAIS RÉUSSI À RAMENER TOUT ÇA TOUTE SEULE !
J'ADORAIS ÉGALEMENT SON CÔTÉ ATTENTIONNÉ
TU VEUX QUE JE TE PRÊTE UNE DE MES PAIRES DE CHAUSSURES ?
NON MERCI, MON PETIT CHOU À LA CRÈME !
ELLE N'A PAS CHANGÉ, D'AILLEURS
JE SUIS À TA DISPOSITION...
... SI TU AS BESOIN D'UN DEUXIÈME COQUARD !
C'EST GENTIL !
ELLE EST RESTÉE LA MÊME...
AH, ELLE M'AIME ENCORE UN PETIT PEU...
... TOUJOURS AUSSI DINGUE DE CHAUSSURES !

LES ENNEMIES ONT UN LANGAGE BIEN À ELLES QUE SEULES LES INITIÉES PEUVENT COMPRENDRE
CETTE ROBE TE VA À MERVEILLE !
TRADUCTION : CETTE ROBE EST IMMONDE !
ELLE EST SOLDÉE ?
TRADUCTION : T'AS RAISON D'ACHETER UN VÊTEMENT DÉMODÉ, ÇA VA BIEN AVEC TON LOOK PLOUC !
C'EST PAS CHER, TU FAIS VRAIMENT UNE BONNE AFFAIRE !
TRADUCTION : T'ES RUINÉE OU QUOI ?
TU DEVRAIS ESSAYER CE PULL UN PEU PLUS LONG...
TRADUCTION : TU AS DES GROSSES FESSES DE PACHYDERME !
PAS ÇA, CE N'EST PAS TON STYLE !
TRADUCTION : JE L'AI VU EN PREMIER ! C'EST À MOI !
TU ES SUBLIMISSIME !
TRADUCTION : ÇA VA BIEN RIGOLER À L'ÉCOLE QUAND ILS VONT TE VOIR
ESPÈCE DE SALE PETITE GARCE !
TRADUCTION : WAHO, TU ES TOPISSSIIIME !

HEUREUSEMENT QUE J'AI LE SHOPPING DANS MA VIE !
ÇA DÉMARRE PAR UN COUP DE FOUDRE...
ENSUITE ON FAIT CONNAISSANCE...
GÉNIAL ! ON CROIRAIT QU'IL A ÉTÉ CRÉÉ POUR MOI !
SI TOUT VA BIEN, ON SORT ENSEMBLE...
JE ME SENS SO GOOD AVEC TOI...
ET ON FAIT DE NOUVELLES RENCONTRES
HUMMM... JE CROIS QUE TU VAS PARFAITEMENT T'ACCORDER AVEC CES JIMMY SHOW !
BREF, C'EST UNE VÉRITABLE HISTOIRE D'AMOUR
QUOI ? JE NE SUIS PAS L'UNIQUE FILLE DE TA VIE ?
TOUT EST FINI ENTRE NOUS !
TROUVE-TOI UNE AUTRE FILLE À HABILLER, TU NE M'INTÉRESSES PLUS !
FLAP

ALLEZ, PLEURE PAS,
1 BUSTIER DE PERDU,
10 DE RETROUVÉS !
MA PAUVRE KA,
TU NE COMPRENDRAS
JAMAIS RIEN À RIEN !
BLACK STONES

J'AI UN CHAGRIN
D'AMITIÉ, AU CAS OÙ
TU L'AURAIS OUBLIÉ !!!
OUBLIER ? IMPOSSIBLE !
TU AS INONDÉ TOUT
L'APPARTEMENT AVEC
TES PLEURS !

JUSTEMENT, MES YEUX SONT AFFREUX,
FAUT QUE J'ACHÈTE DES LUNETTES
NOIRES POUR LES CACHER !
BEN VOYONS, TOUTES
LES OCCASIONS SONT
BONNES POUR DÉPENSER
L'ARGENT DE PAPA !

JE PARIE QUE
TU VAS ACHETER
AUTRE CHOSE
QUE DES LUNETTES !
PARI TENU !

DÉJÀ DE
RETOUR ?
ALORS ?
RIEN D'AUTRE
QUE DES LUNETTES !

T'AS PERDU
TON PARI !
FAIS VOIR !

J'AI PRIS DES LUNETTES SI LE TEMPS EST BEAU,
D'AUTRES SI LE TEMPS EST NUAGEUX, S'IL PLEUT,
S'IL Y A DE L'ORAGE, S'IL GRÊLE, S'IL NEIGE,
EN CAS DE TEMPÊTE, DE CYCLONE OU D'OURAGAN...
???

BEN QUOI... ON AVAIT DIT
DES LUNETTES ET NON
PAS UNE SEULE PAIRE !

Racontage de Potins
Exclusif : Marie-Lune et Anne-So fâchées à vie !
Tout sur leur terrible querelle dont on n'en sait pas plus.
Catégorie
1-potins
2-rumeurs
3-people
4-scoop

QU'EST-CE QUI S'EST PASSÉ, EN FAIT ?
JE N'AI PAS ENVIE D'EN PARLER ! ÇA NE REGARDE PERSONNE, CETTE HISTOIRE !

T'EN AS BIEN PARLÉ À POOCHIE ET ÉGLANTINE !
JE LES AI SIMPLEMENT MISES AU COURANT DE LA DISSOLUTION DE NOTRE AMITIÉ !

C'EST À CAUSE DES ACTIVITÉS DU PÈRE DE MARIE-LUNE ?
TU SAVAIS, POUR LE PQ ?

ON PARTAGE UN SECRET, MAINTENANT !
... CELA DEVRAIT NOUS RAPPROCHER !

SI TU AS BESOIN D'UNE ÉPAULE POUR PLEURER, JE SUIS LÀ !
ARRÊTE ! ÇA FAIT 20 FOIS QUE JE TE DIS QUE JE NE VEUX PAS SORTIR AVEC TOI, TU DEVIENS LOURD !

EXCUSE-MOI... À CHAQUE FOIS QUE JE TE VOIS... TU NE DIRAS RIEN À PERSONNE, HEIN ?
HI HI ! T'INQUIÈTE PAS, POOCHIE ET ÉGLANTINE SAVENT QUE SI ELLES PUBLIENT DES INFOS SUR MOI SANS MON AUTORISATION...

... JE LES APLATIS COMME DES CRÊPES !

ÇA DEVIENT DANGEREUX D'ÉCOUTER AUX PORTES !
ÉCRASE !!!

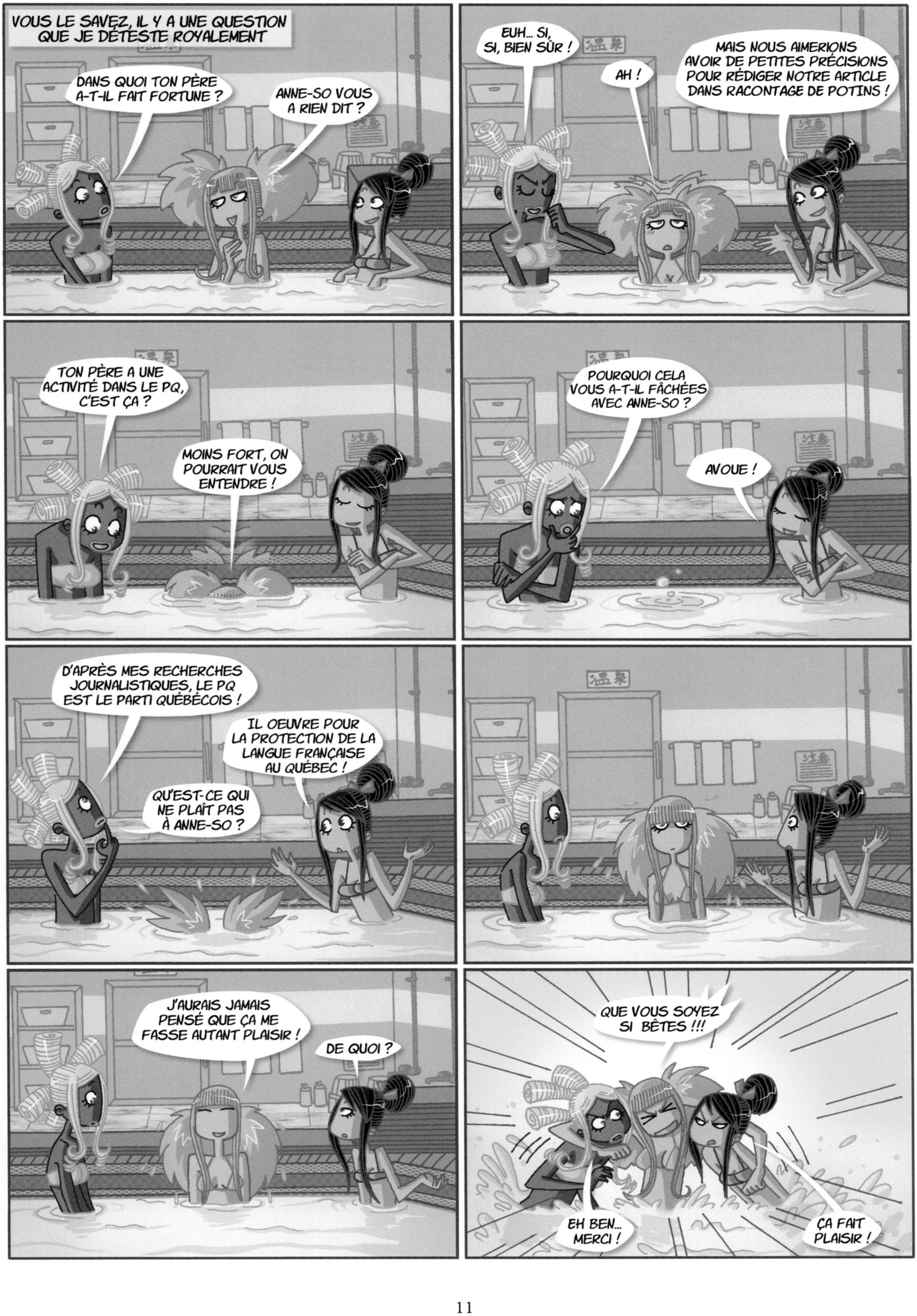

VOUS LE SAVEZ, IL Y A UNE QUESTION QUE JE DÉTESTE ROYALEMENT
DANS QUOI TON PÈRE A-T-IL FAIT FORTUNE ?
ANNE-SO VOUS A RIEN DIT ?
EUH... SI, SI, BIEN SÛR !
AH !
MAIS NOUS AIMERIONS AVOIR DE PETITES PRÉCISIONS POUR RÉDIGER NOTRE ARTICLE DANS RACONTAGE DE POTINS !
TON PÈRE A UNE ACTIVITÉ DANS LE PQ, C'EST ÇA ?
MOINS FORT, ON POURRAIT VOUS ENTENDRE !
POURQUOI CELA VOUS A-T-IL FÂCHÉES AVEC ANNE-SO ?
AVOUE !
D'APRÈS MES RECHERCHES JOURNALISTIQUES, LE PQ EST LE PARTI QUÉBÉCOIS !
IL OEUVRE POUR LA PROTECTION DE LA LANGUE FRANÇAISE AU QUÉBEC !
QU'EST-CE QUI NE PLAÎT PAS À ANNE-SO ?

ET LA BLONDE DIT:
« D'ACCORD, MAIS QU'EST-CE QUE JE FAIS DE SA MOTO ? »
HI HI HI HI !

FAIS PAS LA TÊTE, ANNE-SO, TU PEUX RIGOLER... PUISQUE TU ES UNE FAUSSE BLONDE !
OH MY GOD !
HI HI HI HI HI !

ARRÊTE DE PROPAGER DES FAUSSES RUMEURS SUR MON COMPTE !
FALLAIT PAS RÉVÉLER MON SECRET À POOCHIE ET ÉGLANTINE !
J'AI RIEN DIT !

NOUS SOMMES BLONDES DE MÈRE EN FILLE DEPUIS SEPT GÉNÉRATIONS !
NOTRE CHEVELURE EST UN EMBLÈME, C'EST MÊME UNE COULEUR DE RÉFÉRENCE CHEZ TOUS LES COIFFEURS DE LUXE !

TU ME CONNAIS, TU SAIS DE QUOI JE SUIS CAPABLE SI ON M'ATTAQUE !

ET ALORS ?
RIEN ! ELLE EST PARTIE ET M'A LAISSÉE EN PLAN !

C'EST FORMIDABLE ! SI ELLE A RENONCÉ À ME FAIRE DU MAL, C'EST QU'ELLE M'AIME ENCORE !
MENU
DIS, C'EST VRAI QUE TU METS DES CHAUSSETTES DANS TON SOUTIF ?

... OU ALORS, ELLE SAIT FRAPPER À DISTANCE !
ARRRGL !

Bonjour Marie-Lune, je trouve que tu es la fille la plus fun et la plus sympa de l'école. Ne perds pas confiance en toi. Je t'aime tellement.
YOUHOU !
BERK ! LAISSE-MOI DEVINER CE QUI TE MET EN JOIE ? UN JOURNALISTE VEUT T'INTERVIEWER ?
J'AI UN ADMIRATEUR !
SANS DOUTE UN AVEUGLE OU UN SOURD... OU LES DEUX...
SI ÇA SE TROUVE, C'EST PIERRE-CHARLES !
COUCOU !
MARIE-LUNE, TU TOMBES À PIC !
TU PEUX ESSAYER ÇA, S'IL TE PLAÎT ?
UN CADEAU POUR MOI ? COMME C'EST CHOU !
JE NE SAVAIS PAS QUE TU AVAIS DES TALENTS DE COUTURIER !
ÉVIDEMMENT ! JE NE COMPTE PAS RESTER LE VENDEUR DE LA BOUTIQUE DE L'ÉCOLE TOUTE MA VIE !
COMMENT TROUVES-TU LA MATIÈRE ?
DOUCE COMME TES CARESSES... EUH ENFIN... J'IMAGINE !
PIERRE-CHARLES, CETTE ROBE EST MAGNIFIQUE !
MERCI, MARIE-LUNE ! TU ES UN VRAI MODÈLE POUR MOI !
SI C'EST PAS DES PAROLES D'ADMIRATEUR, ÇA, JE VEUX BIEN ÊTRE CHANGÉE EN CRAPAUD !
BONJOUR PIERRE-CHARLES, EST-CE QUE MA COMMANDE EST PRÊTE ?
JE VIENS TOUT JUSTE DE FINIR LES RETOUCHES ! MARIE-LUNE A EU LA GENTILLESSE DE ME SERVIR DE MODÈLE...
HEIN ? QUOI ? QUOI ? COOOÂ ?

J'AIMERAIS TANT NE PLUS ÊTRE INVISIBLE !

Belle

BOUOOU HOUHOU

Menu

QU'EST-CE QUI T'ARRIVE ? ÇA N'A PAS L'AIR D'ALLER !

JE SUIS FÂCHÉE AVEC MA MEILLEURE AMIE ET J'ADORE UN GARÇON QUI NE M'AIME PAS !

COMMENT UN MEC PEUT-IL RÉSISTER À UNE FILLE AUSSI JOLIE QUE TOI ?

AUJOURD'HUI : ÉVÉNEMENT DANS MON ÉCOLE. IL Y A UN NOUVEAU !
ÇA SENT LE BEAU GOSSE !
NON... PAS LUI !
CE BEAU GOSSE EST UN DÉMON...
HÉ ! C'EST TOI, QUI M'AS DRAGUÉ L'AUTRE JOUR À LA TERRASSE D'UN CAFÉ !
UN MUFLE...
NON, NON, C'EST PAS MOI, C'ÉTAIT KA, MA SOEUR JUMELLE. ON SE RESSEMBLE BEAUCOUP, N'EST-CE PAS ?
ELLE EST RAVISSANTE !
UN SORCIER...
FLATTEUR !
AU SECOURS, IL EST EN TRAIN D'ENVOÛTER MA SOEUR !
UN MONSTRE !
ET SINON, À PART CHARMEUR, T'AS D'AUTRES ACTIVITÉS DANS LA VIE ?
EH BIEN... ÇA TE DIRAIT DE DONNER TON SANG ?
AAAAAAARGHL !
PAS QUESTION QUE J'OUVRE À CE VAMPIRE !
SOIS PAS IDIOTE, ON N'EST PAS DANS TWILIGHT !
MATHIEU EST SIMPLEMENT BÉNÉVOLE DANS UNE ASSOCIATION DE TRANSFUSION SANGUINE !

HUMMM... AUTANT DE MUSCLES PAR CENTIMÈTRE CARRÉ, C'EST PAS HUMAIN !
NORMAL, C'EST UN DIEU !
JE PLAINS SES ANCIENNES CAMARADES DE NEW YORK, ELLES ONT PERDU LEUR APOLLON, LES PAUVRES !
TANT PIS POUR ELLE, IL EST À NOUS MAINTENANT ! RIEN QU'À NOUS !
ET EN PLUS, IL PARAÎT QUE C'EST UN VÉRITABLE PRINCE !
HUMM... JE VOUDRAIS ÊTRE SA BELLE AU BOIS DORMANT...
JE TE SIGNALE QUE TU AS DÉJÀ UN CHÉRI...
Y'A PAS DE MAL À RÊVER !
C'EST VRAI... ON AURAIT TORT DE SE PRIVER DE REGARDER UN CORPS PAREIL !
VISE-MOI CES TABLETTES DE CHOCOLAT ! ELLES SONT À CROQUER !
ET SES PETITES FESSES BIEN FERMES ? C'EST UN ATTENTAT À LA PUDEUR !
C'EST QUOI L'ÉQUIVALENT DE « ELLE EST BONNE » POUR UN GARÇON ?
EUH... « APPÉTISSANT » PEUT-ÊTRE !
ALORS, LES BEAUTÉS, ÇA ROULE ?
NON MAIS, VOUS AVEZ RIEN D'AUTRE À FAIRE QUE DE MATER LES FILLES ?!
ESPÈCES D'OBSÉDÉS !!! VOUS NE PENSEZ VRAIMENT QU'À ÇA !!!

DING DONG

HOULÀ, ÇA N'A PAS L'AIR D'ALLER, TOI...
ON JOUE À EINSTEIN JUNIOR AVEC MA SOEUR ! ELLE M'ÉPUISE !

HA HA HA ! ELLE EST SI NULLE QUE ÇA ?
AU CONTRAIRE, C'EST UNE SURDOUÉE !

IL Y A SÛREMENT EU UN INCIDENT À LA NAISSANCE POUR QU'ELLE DÉVELOPPE UNE INTELLIGENCE PAREILLE !

J'Y CROIS PAS, ELLE EST TELLEMENT SUPERFICIELLE !
EH OUI ! SUPER INTELLIGENTE, MAIS C'EST L'IMPÉRATRICE DE LA FRIVOLITÉ ! LA DÉESSE DE LA LÉGÈRETÉ ! L'ICÔNE DE LA FUTILITÉ !

SON ALTESSE ROYALE TÊTE DE LINOTTE ! SA SOUVERAINETÉ TÊTE À CLAQUER DU POGNON !
HA HA HA

LA PRINCESSE DU CREUX, DU VIDE, DU SUPERFLU, DE L'INUTILE...

OUPS ! JE CROIS QU'ELLE T'A ENTENDUE !
PEU IMPORTE, ELLE SAIT TRÈS BIEN CE QUE JE PENSE D'ELLE !
NON, JE NE SAVAIS PAS !

JE NE SAVAIS PAS QUE TU ÉTAIS LA SOEUR LA PLUS ADORABLE DU MONDE !
MERCI, KA !
?!?
IMPÉRATRICE, DÉESSE, PRINCESSE, ICÔNE... CE SONT LES PLUS GENTILS MOTS DE LA TERRE, N'EST-CE PAS ?

contage de Potins
Marie-Lune vs Anne-So :
est-elle ?
Mode
est la fin ?
pas de réconciliation en vue !
TOUT LE MONDE SE DEMANDE POURQUOI VOUS VOUS ÊTES DISPUTÉES À CAUSE DE TON PÈRE !
TU NE PEUX PAS RESTER MUETTE ! TU DOIS NOUS EN DIRE PLUS !
EUH ...
EST-CE QUE VOUS SAVEZ QUE J'AI UN AMOUREUX SECRET ?
NOOOOON ?!
FAIS VOIR, VITE !
TU AS SES COORDONNÉES ?
MALHEUREUSEMENT NON ! IL CACHE SON NUMÉRO ET IL ENVOIE TOUS SES MAILS D'UNE BOÎTE ANONYME.
TU SAIS QUE MA MÈRE TRAVAILLE DANS UNE BOÎTE D'INTERNET, ELLE PEUT DÉCOUVRIR SON IDENTITÉ SI TU VEUX ?
ON TE DIT QUI C'EST, ET EN ÉCHANGE TU NOUS ACCORDES UNE INTERVIEW EXCLUSIVE...
OK !
POURQUOI EST-CE QUE TU FAIS CROIRE À TA SOEUR QU'ELLE A UN AMOUREUX SECRET ?
C'EST POUR LUI REMONTER LE MORAL ! ELLE EST AU BOUT DU ROULEAU DEPUIS SA DISPUTE AVEC ANNE-SO.
D'AILLEURS, JE VAIS LUI ENVOYER UN COMPLIMENT SUR SA TENUE, ÇA LUI METTRA DU BAUME AU COEUR !
T tro belle aujourd'hui ML. Ton legging é tro bo
C pa 1 legging C 1 corsaire !
Tu devrais sortir avec ma sœur Ka. L é aussi nul ke toi nivo mo2

ÇA Y EST, TU T'ES ASSEZ ADMIRÉE ? ON VA FINIR PAR ÊTRE EN RETARD AU BAL DU LYCÉE...
DRESSING
TU NE COMPTES TOUT DE MÊME PAS REMETTRE CETTE ROBE !
ET POURQUOI PAS ? JE L'AI EUE, À UN PRIX TRÈS INTÉRESSANT CHEZ BADOU !

MA PAUVRE KA, IL Y A PLUSIEURS RÈGLES À NE JAMAIS OUBLIER DANS NOTRE MONDE...
QUEL MONDE ? CELUI DES FILLES À PAPA !

PREMIÈREMENT, NE JAMAIS METTRE DEUX FOIS LA MÊME TENUE !
OU ALORS TU LA RETOUCHES POUR QU'ON NE SACHE PAS QU'IL S'AGIT DE LA MÊME ROBE.
AAAARGH !

DEUXIÈMEMENT, TOUJOURS FAIRE CROIRE QUE TA TENUE EST HORS DE PRIX !
DIS QU'ELLE T'A ÉTÉ PRÊTÉE PAR UN GRAND COUTURIER, C'EST HYPER GLAMOUR...
SI ON ME LA PRÊTE, ÇA ME COÛTE ZÉRO EURO ?..
T'AS RAISON, C'EST TRÈS TRÈS CHER ! Y'A DE QUOI FAIRE SA CRÂNEUSE !

ET TROISIÈMEMENT, C'EST UNE RÈGLE QUE JE VAIS TRANSGRESSER CE SOIR...
?

...TOUJOURS ÉVITER DE PORTER LA MÊME ROBE QUE QUELQU'UN D'AUTRE !
OH MY GOD !
ROUND 1
MARIE-LUNE / ANNE-SO
1 0

C'EST PAS POSSIBLE !
C'EST UNE CACASTROPHE !
COMMENT VAIS-JE FAIRE ?
JE VOUS EN SUPPLIE, AIDEZ-MOI !
Y'A PLUS DE PAPIER !
AU SECOURS !
HIN HIN HIN !
ROUND 2
MARIE-LUNE | ANNE-SO
0 | 1

CHAQUE ANNÉE J'ÉTAIS CONVIÉE À LA SUPER VENTE PRIVÉE CHEZ GOLCE ET DABANA
ET POUR ÊTRE SÛRE DE TROUVER TOUT CE QUE JE DÉSIRAIS AVANT TOUT LE MONDE, JE ME PROCURAIS LE PLAN DU MAGASIN !
"LE LION COURT DANS LA SAVANE"
C'EST LE BON CODE, LE PLAN EST À VOUS !
MAIS CETTE ANNÉE, IL Y A UN HIC !
IL N'Y A QU'UN SEUL ET UNIQUE PLAN, JE NE PEUX LE DONNER QU'À L'UNE DE VOUS DEUX...
OH MY GOD !
C'EST TROP GLAUQUE !
CELLE QUI ME DONNERA LE BON CODE...
"LE SINGE MANGE DES BANANES ?"
NON, CE N'EST PAS LE BON CODE !
"LES BROCOLIS SONT TROP CUITS ?"
NON !
"MARIE-LUNE EST UNE BÉCASSE !"
RATÉ !
"LA BLONDASSE COMMENCE À M'ÉNERVER !"
NON, NON, NON ET NON !
"LA BÉCASSE VA S'EN PRENDRE UNE !"
BONJOUR, SERAIT-IL POSSIBLE D'OBTENIR LE PLAN DU MAGASIN GOLCE POUR LA VENTE PRIVÉE ?
C'EST POUR MA PETITE SOEUR CHÉRIE.
AVEC DES YEUX PAREILS, ON NE PEUT RIEN LUI REFUSER !!!
ROUND 3
MARIE-LUNE | ANNE-SO
0 | 0

JE CROIS BIEN QUE JE N'ARRIVERAI JAMAIS À ME RÉCONCILIER AVEC ANNE-SO
JE VAIS ME PROMENER !
AAARGL !

PAPA ! AU SECOURS ! IL FAUT FAIRE QUELQUE CHOSE POUR MARIE-LUNE, ELLE DÉPRIME !
JE M'EN OCCUPE !

ÇA TE REMONTE PAS LE MORAL DE VOIR TOUTES CES STARS, MON ROUDOUDOU D'AMOUR ?
EN PLUS C'EST UNE SOIRÉE AU PROFIT DES SANS-ABRI !
REGARDE, ROB PADDISON, JOHNNY PEDD, ET LÀ, ZAC ET FRON !

CHER AMI ! COMMENT ALLEZ-VOUS ?
TU SAIS... EUH... TU N'AS PLUS DE MEILLEURE AMIE... MAIS... EUH... JE SUIS LÀ POUR TOI... MOI !

MERCI, SOEURETTE ! MOI AUSSI JE T'AIME !
MAGNIIIIIIIIFICA ! BELLIIIIIISSIMA !

QUEL PORT DE TÊTE ! QUELLE ALLURE ! QUELLE CLASSE ! QUELLE GRÂCE !
IL ME FAUT CETTE FILLE POUR MA PROCHAINE CAMPAGNE DE PUB !

JE DOIS FAIRE UNE PHOTO DE TOI !
EUH... TOI, L'INTRUSE, POUSSE-TOI !

VOILÀÀÀÀ ! DIVIIIIIIINE !

MAGNIIIIIIFICA ! BELLIIIIIISSIMA !

CROIS-MOI, KA, POUR ASSURER UNE CAMPAGNE DE PUB AVEC LE GÉNIAL CARLOS GARFIELD, IL FAUT ÊTRE AU TOP DU TOP...
ET, SANS VOULOIR TE VEXER, C'EST QUAND MÊME MOI LA PLUS GLAMOUR !
D'AILLEURS, PAPA M'APPELLE « MON PETIT ROUDOUDOU D'AMOUR ».
ALORS QUE TOI, IL T'A SURNOMMÉE SON « SUCRE D'ORGE ADORÉ ».
JE NE VOIS PAS LE RAPPORT !
BEN QUOI ? C'EST ÉVIDENT : UN ROUDOUDOU C'EST BÔÔÔCOUP PLUS JOLI QU'UN SUCRE D'ORGE...
TOUT LE MONDE SAIT ÇA !
EN FAIT, HIER JE N'ÉTAIS PAS MOI-MÊME, CARLOS GARFIELD NE POUVAIT PAS ME REMARQUER...
CRAC
CRAC
... C'EST POUR ÇA QU'IL T'A TROUVÉE SUBLIME !
AU ROYAUME DES AVEUGLES, LE BORGNE EST ROI !
TU SAIS CE QU'ELLE TE DIT, LA BORGNE ?
HÉ HO ! T'ÉNERVE PAS ! LA JALOUSIE EST UN VILAIN DÉFAUT !
C'EST PAS DE CHANCE, LA GASTRO DE TA SOEUR !...
TU AS BIEN FAIT DE LA REMPLACER, TU ES NETTEMENT PLUS EN ADÉQUATION AVEC NOTRE NOUVEAU PRODUIT !
MERCI, CARLOS...
REGARDE COMME CE PAPIER TOILETTE S'ACCORDE MAGNIIIIIFIQUEMENT AVEC LE ROSE CHIOTTE DE TA CHEVELURE !

MAIS PAPA, TU LE SAIS BIEN QUE J'AI HONTE DE TA RÉUSSITE DANS LE PAPIER TOILETTE !
JE NE VAIS PAS M'AFFICHER DANS LES RUES POUR VANTER LES MÉRITES DE TON NOUVEAU BÉBÉ !
MÊME SI C'EST DU PAPIER PARFUMÉ AVEC LE N°5 DE CANNEL ?
DU PQ, ÇA RESTE DU PQ !
ÇA TE FERAIT POURTANT DU BIEN QUE TOUT LE MONDE LE SACHE, TU DOIS ASSUMER !
MON ROUDOUDOU D'AMOUR, CE NOUVEAU PQ EST FONDAMENTAL POUR L'AVENIR DE MON ENTREPRISE, ET CETTE CAMPAGNE DE PUB AUSSI !
PAS DE PUB = MOINS DE MILLIONS !
PEU IMPORTE ! JE PRÉFÈRE ÊTRE PAUVRE ET DIGNE QUE RICHE ET RIDICULE !
ADIEU !
ATTENDS, MA CHÉRIE !
SLING!
SLOOOM!
SPOOCHT!
Pécu n°5
laissez-le vous embaumer
PAPA, TU ES UN GÉNIE !
GNA GN GN
JE VAIS LA FAIRE, TA PUB !
???
NI VU, NI CONNU !

POURQUOI CE RENDEZ-VOUS SECRET, JEAN-DOMINIQUE-LOUIS ?
APPELEZ-MOI JDL, APRÈS TOUT, NOUS ALLONS DEVENIR INTIMES !

COMME VOUS LE SAVEZ, JE SUIS LE COUSIN GERMAIN DU PRINCE DE SPANICIE ET LE FILS UNIQUE DE MARIE-CÉCILE DE BIÈVRES... UN FUTUR ROI... UN PRINCE, QUOI !
HEIN ? QUOI ?

JE VOUS PROPOSE UN MARCHÉ !
JE VOUS AIDE À VOUS RÉCONCILIER AVEC ANNE-SO, EN ÉCHANGE, VOUS FAITES CROIRE QUE VOUS ÊTES AMOUREUSE DE MOI !

ET ALORS ?
AVANT, TOUTES LES FILLES VOULANT DEVENIR PRINCESSES ME FRÉQUENTAIENT. MAIS MAINTENANT, ELLES NE JURENT QUE PAR MATHIEU LE BEAU GOSSE... GRRR !
COMME VOUS ÊTES POPULAIRE, ÇA REDORERA MON IMAGE AUPRÈS DE LA GENT FÉMININE DE L'ÉCOLE !
J'ACCEPTE ! ÇA AUGMENTERA MA NOTE DE VIE SCOLAIRE D'AIDER UNE PERSONNE DÉFAVORISÉE !

VOUS VOUS TROMPEZ ! JE N'AI PAS DE SOUCIS, JE SUIS MÊME PLEIN AUX AS !

T'ES QUAND MÊME DÉFAVORISÉ PAR LA NATURE !

JE T'EN PRIE... NE SAUTE PAS !
C'EST 20/20 ASSURÉ, SI JE SAUVE UNE PERSONNE DÉFAVORISÉE DU SUICIDE !

UN GLAÇON DE 50G EST PLONGÉ DANS 300G DE JUS D'ORANGE...
T'AURAIS DÛ VOIR COMMENT CETTE JUPE ME FAISAIT DES FESSES DE DÉESSE GRECQUE !
T'AS DÉJÀ VU UNE DÉESSE GRECQUE ?
NAN... MAIS J'IMAGINE
SOIT T1 LA TEMPÉRATURE DU GLAÇON ET T2 LA TEMPÉRATURE DU JUS D'ORANGE...
C'EST LE VERNIS À ONGLES DU FUTUR. IL CHANGE DE COULEUR SELON LA TEMPÉRATURE EXTÉRIEURE.
TROP GLAMOUR !
QUELLE SERA LA TEMPÉRATURE FINALE DU MÉLANGE, SACHANT QUE T1 = -18°C ET T2 = 23°C ?
ÇA M'A SCIÉ LES CHEVILLES, ÉCRABOUILLÉ LES DOIGTS DE PIEDS ET BRÛLÉ LE TALON.
MAIS C'EST QUOI, CET OBJET DE TORTURE ?
LES SANDALES DE LA NOUVELLE COLLECTION GUERLOIN ! SUBLIMES !
À PROPOS DE PROBLÈME DE PHYSIQUE... ON DOIT SOLUTIONNER CELUI-LÀ EN BINÔME AVANT LA FIN DU COURS !
RAAAH... ME DÉRANGER POUR DES FUTILITÉS ! VRAIMENT ! PFFF !
ALORS SOIT Q, L'ÉNERGIE QUI DOIT RAMENER T1 À 0°C, Q2, L'ÉNERGIE POUR FAIRE FONDRE LA GLACE, Q3, L'ÉNERGIE DE L'EAU DE 0°C À LA TEMPÉRATURE FINALE... Q4, L'ÉNERGIE QUI FAIT REFROIDIR LE JUS D'ORANGE DE T2 À LA TEMPÉRATURE FINALE, JE MULTIPLIE, JE RETIENS 3...
VOILÀ !
18°47 C ?
MATHIEU, GARDE LA SOLUTION POUR TOI, LES AUTRES N'ONT PAS FINI !
50g
T1 = -18°C
T2 = 23°C
300g
TA SOEUR A RAISON, T'ES VRAIMENT UNE GROSSE TÊTE !
AH BON ? TU TROUVES MES CHEVEUX TROP VOLUMINEUX ?
RECTIFICATION : UNE GROSSE TÊTE... À CLAQUES !

MANGER ENSEMBLE À LA CANTINE, ÇA DEVRAIT FAIRE CROIRE AUX AUTRES QU'ON EST AMOUREUX...

Racontage de Potins
Nouvelle star
le beau gosse
Test : es-tu plutôt yin ou plutôt yang ?
Marie-Lune : Le drame !
Ne trouvant aucune place où s'asseoir, elle est obligée de manger avec JDL !

HA HA HA !
CONTINUEZ ! TOUT LE MONDE VA PENSER QUE J'AI UN HUMOUR DÉCAPANT ET QUE VOUS ÊTES SOUS MON CHARME !

CHUT!
CHUT!
Racontage de Potins
Devinette : Pourquoi Marie-Lune rit-elle ?
Catégories
1-Potins
2-Rumeurs
3-People
4-Scoops
Liens
Marie-Lune
Yllya
Fleur.D
Saboten
Minikim
Réponse : Il n'y a qu'à regarder la tronche de JDL !

ALORS LÀ, PERSONNE NE POURRA SE TROMPER SUR NOS INTENTIONS !
MIAM !
ANNE-SO, TU NE POURRAS PAS DIRE QUE JE NE FAIS PAS DE SACRIFICES POUR NOTRE AMITIÉ !

DE: RDP
13.15
JDL entre en effraction dans la bouche de Marie-Lune pour lui chiper son chewing-gum !
ON N'Y ARRIVERA JAMAIS !
BIP BIP
EH BIEN TANT PIS, J'AI FAIT ASSEZ DE SACRIFICES COMME ÇA !

HIIIIIIIIIII !

UN SAC MIRKIN !
DÉSOLÉE, IL EST RÉSERVÉ !
HEIN ? MAIS C'EST TROP GLAUQUE !
LE SAC LE PLUS VENDU AU MONDE ! LE MODÈLE PHARE DE LA MARQUE HERPÈS !

LA DEMANDE EST PLUS IMPORTANTE QUE L'OFFRE, NOUS SOMMES OBLIGÉS DE CONSTITUER UNE LISTE D'ATTENTE !
INSCRIVEZ VOS NOM, PRÉNOM ET NUMÉRO DE TÉLÉPHONE, ON VOUS APPELLERA !

APPELEZ LA PREMIÈRE DE LA LISTE ET DITES-LUI QUE LE SAC N'EST PLUS EN VENTE !
CE N'EST PAS LÉGAL, MADEMOISELLE !
JE VOUS PAYE LE DOUBLE, NON, LE TRIPLE... NON... VOTRE PRIX SERA LE MIEN !
CE N'EST PAS LÉGAL, MADEMOISELLE !

SAVEZ-VOUS CE QUI N'EST PAS LÉGAL ?
CODE DE LA CONSOMMATION, ARTICLE L.122-1 : TOUT REFUS DE VENTE SERA PASSIBLE D'UNE AMENDE TRÈS TRÈS CHÈRE...
ET D'UNE PEINE D'EMPRISONNEMENT EN CAS DE DISCRIMINATION !!!
GRRR

J'ENTENDS DÉJÀ LES CRIS EN DÉLIRE DES COPINES D'ÉCOLE
HIIIIIIIIII !
WAAAAAOUH !
OOOOH !
AAAAAAH !

MAIS...?! C'EST LE SAC QUE J'AI RÉSERVÉ !

RENDS-LE-MOI ! OU JE T'ASSURE QU'IL VA Y AVOIR UN MEURTRE !
J'ENTENDS DÉJÀ MES CRIS DE DOULEUR SI ANNE-SO ME RATTRAPE...

J'AI TOUJOURS RÊVÉ D'ÊTRE UNE STAR...
LA PUB PÉCU N°5 FAIT UN CARTON. NOUS SOMMES EN RUPTURE DE STOCK.
PATRON, HONG KONG VOUDRAIT SAVOIR SI ON PEUT LIVRER QUATRE CARGOS DE N° 5 POUR LA SEMAINE PROCHAINE ?

LA MARQUE MOLTO, VICTIME DE SON SUCCÈS !
Dans la nuit du 5 au 6 novembre, une jeune fille a été surprise en train de dérober une affiche de la pub Pécu n°5. La voleuse, pensant que le mannequin vedette de cette pub était Jennifer Casta, voulait l'afficher dans sa chambre.
L'identité du top modèle, toujours inconnue, suscite des

PÉCU !
PÉCU !
FLASH
PÉCU !
PÉCU !

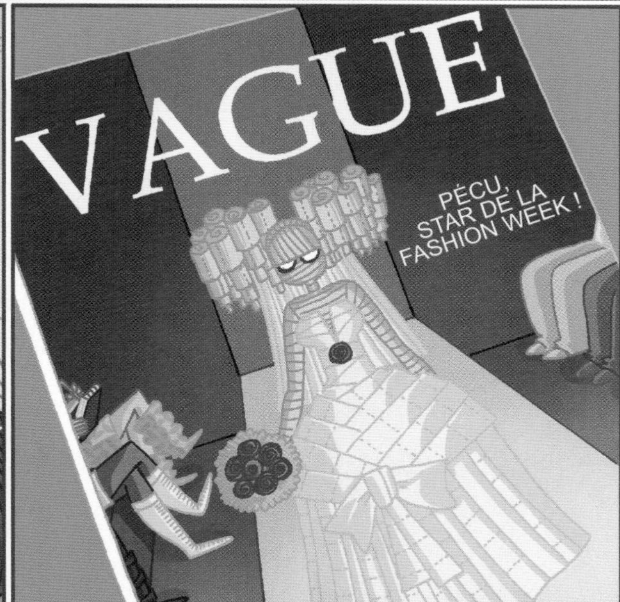
VAGUE
PÉCU, STAR DE LA FASHION WEEK !

INUTILE ! C'EST CADEAU !
AAARGHL ! C'EST TROP GLAUQUE ! LAISSEZ-MOI ACHETER QUELQUE CHOSE !

TROP BELLE, CETTE FILLE ! JE ME DEMANDE BIEN QUI C'EST !?
POUR UNE FOIS, J'AIMERAIS BIEN QU'ON DÉCOUVRE MON SECRET...

... MAIS ÇA M'AVANCERAIT À QUOI D'EN PARLER ?
CETTE FILLE, SI JE LA RENCONTRE, JE L'ÉPOUSE !!!

BONJOUUUUUR !
AU REVOIR !

J'ADORE TON PETIT AIR RENFROGNÉ ! TROP MIGNON !
MOI, CE QUE J'ADORE, C'EST QUAND JE NE T'ENTENDS PLUS !

ÇA TOMBE BIEN, J'AI DES CHOSES À TE DIRE ET TU NE VAS PAS ÊTRE OBLIGÉ DE M'ÉCOUTER !
GÉNIAL !

JE T'AI ÉCRIT UNE LETTRE !
C'EST PLUS FACILE POUR EXPRIMER SES SENTIMENTS...
... ET TU NE M'INTERROMPRAS PAS TOUTES LES DEUX SECONDES.

Restons amies, je t'en prie...

JE SUIS D'ACCORD AVEC TOI, MAIS JE TE SIGNALE QU'ON NE MET PAS DE « E » À AMIS...
HEIN ? MAIS, C'EST MA LETTRE DE RÉCONCILIATION POUR ANNE-SO !...

Je rêve du jour où nos deux lèvres se caresseront pour entremêler nos langues dans une danse sensuelle. Ce sera le moment le plus beau de ma vie.... Je t'aime pour toujours et à jamais. Marie-Lune
HAN ! MARIE-LUNE EST HOMOSEXUELLE !

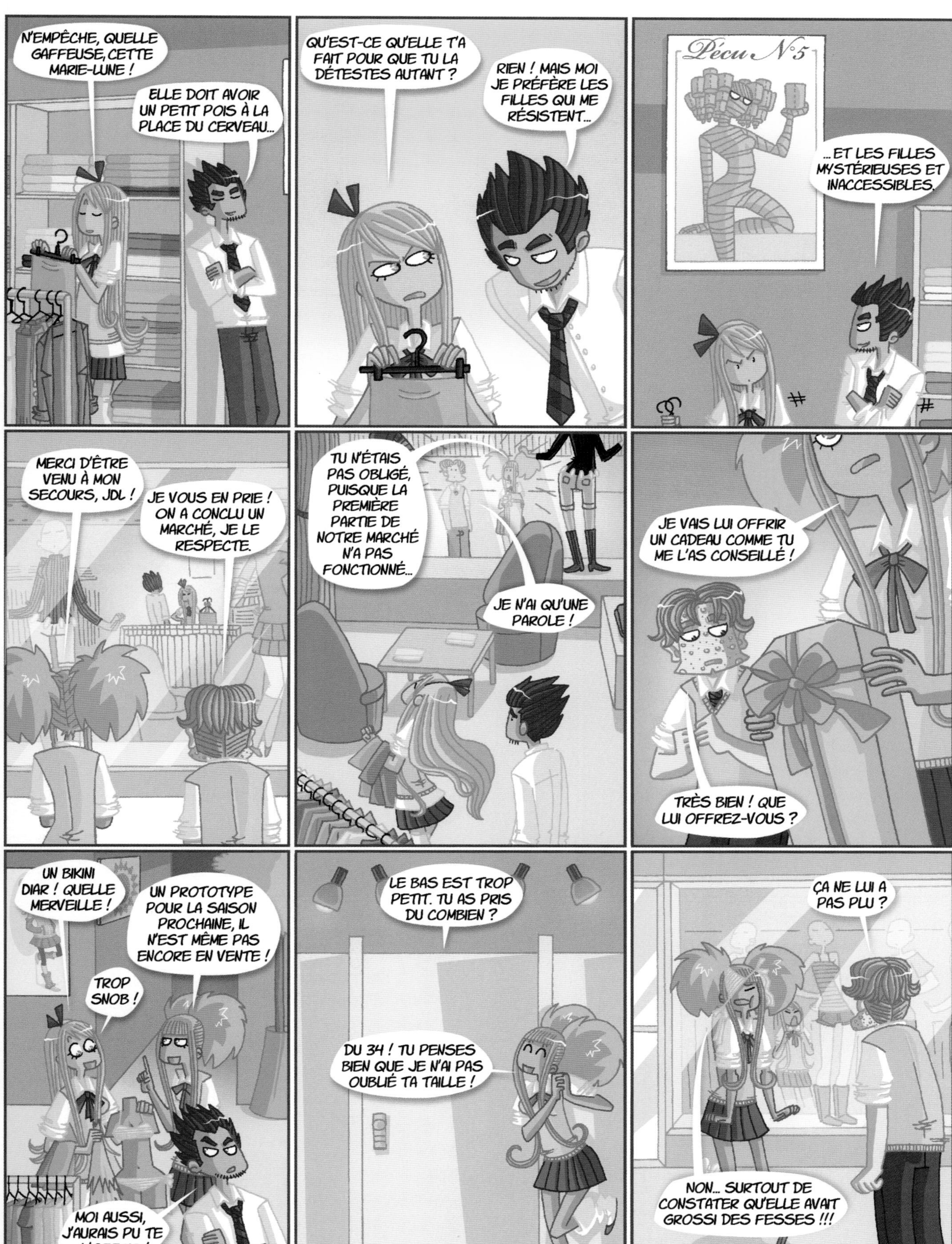
N'EMPÊCHE, QUELLE GAFFEUSE, CETTE MARIE-LUNE !
ELLE DOIT AVOIR UN PETIT POIS À LA PLACE DU CERVEAU...
QU'EST-CE QU'ELLE T'A FAIT POUR QUE TU LA DÉTESTES AUTANT ?
RIEN ! MAIS MOI JE PRÉFÈRE LES FILLES QUI ME RÉSISTENT...
Pécu N°5
... ET LES FILLES MYSTÉRIEUSES ET INACCESSIBLES.
MERCI D'ÊTRE VENU À MON SECOURS, JDL !
JE VOUS EN PRIE ! ON A CONCLU UN MARCHÉ, JE LE RESPECTE.
TU N'ÉTAIS PAS OBLIGÉ, PUISQUE LA PREMIÈRE PARTIE DE NOTRE MARCHÉ N'A PAS FONCTIONNÉ...
JE N'AI QU'UNE PAROLE !
JE VAIS LUI OFFRIR UN CADEAU COMME TU ME L'AS CONSEILLÉ !
TRÈS BIEN ! QUE LUI OFFREZ-VOUS ?
UN BIKINI DIAR ! QUELLE MERVEILLE !
UN PROTOTYPE POUR LA SAISON PROCHAINE, IL N'EST MÊME PAS ENCORE EN VENTE !
TROP SNOB !
MOI AUSSI, J'AURAIS PU TE L'OFFRIR !
LE BAS EST TROP PETIT. TU AS PRIS DU COMBIEN ?
DU 34 ! TU PENSES BIEN QUE JE N'AI PAS OUBLIÉ TA TAILLE !
ÇA NE LUI A PAS PLU ?
NON... SURTOUT DE CONSTATER QU'ELLE AVAIT GROSSI DES FESSES !!!

MONEY MONEY MONEY...
MONEY MUST BE FUNNY...
IN THE RICH MAN'S WORLD...
?!?
ANNE-SO
ANNE-SO ?.. C'EST BIEN TOI ?
EUH... OUI... JE... JE TENAIS À TE DIRE QUE... TOUT ÇA, NOS DISPUTES, NOS REGARDS DE TRAVERS, NOS VANNES... J'EN AI ASSEZ !
J'AIMERAIS QUE CELA CESSE. TU M'ADORES... JE... EUH... JE T'ADORE... REDEVENONS AMIES ET OUBLIONS TOUT !
...
ALLÔ ? T'ES TOUJOURS LÀ ?
EUH... NON ! JE SUIS SUR UN PETIT NUAGE !
C'EST JDL QUI T'A RACONTÉ COMMENT JE ME SUIS SACRIFIÉE POUR QU'ON SE RÉCONCILIE ?
COMMENT EST-CE QU'IL T'A CONVAINCUE DE ME PARDONNER ?
SURTOUT QUE CES DERNIERS TEMPS J'AI RAJOUTÉ DE L'HUILE SUR LE FEU !
D'AILLEURS J'EN AI BEAUCOUP SOUFFERT !
MAIS MOI AUSSI J'AURAIS TRÈS MAL SI LE FEU NE S'ÉTEIGNAIT PAS !!!

MAIS ENFIN, JDL, ON NE PEUT PAS BASER UNE AMITIÉ SUR DU CHANTAGE !
JE PENSAIS QU'EN LUI FORÇANT LA MAIN ANNE-SO ACCEPTERAIT DE VOUS PARDONNER.
HI HI ! FINALEMENT, TU ES TRÈS SYMPA COMME MEC ! ADORABLE, MÊME !
IL VOUS FAUT QUELQUE CHOSE, LES AMOUREUX ?
HEIN ? QUOI ?
ENFIN QUELQU'UN QUI CROIT À NOTRE AMOUR !
ON N'EST PAS AMOUREUX, ON A FAIT SEMBLANT !
GLOUPS
DOMMAGE ! VOUS FAITES UN BEAU COUPLE ! AUSSI CRÉTINS L'UN QUE L'AUTRE !
TU NE MANQUES PAS D'AIR, TOI !
KEUF ! KEUF ! KEUF !
FAIS GAFFE, POUR L'INSTANT, C'EST MISS MONDE QUI MANQUE D'OXYGÈNE !
EXCUSEZ-VOUS... KEUF... AUPRÈS DE MARIE-LUNE OU... KEUF... KEUF... JE VOUS BOTTE LE DERRIÈRE ! KEUF... KEUF...
AU SECOURS ! MAMAN... J'AI PEUR !
JDL ! LAISSE-LE TRANQUILLE !
EUH... PARDONNEZ-MOI, MARIE-LUNE, JE NE SUPPORTE PAS LA GROSSIÈRETÉ
JE NE TE PERMETS PAS DE FRAPPER PIERRE-CHARLES !
BAFFE !
C'EST À MOI DE M'EN CHARGER !!!
QUELLE FEMME !
MAMAN BOBO

JE N'ARRIVE PAS À CROIRE QUE TU AIES PÉTÉ LA FIGURE À PIERRE-CHARLES.
J'ARRIVE PAS À CROIRE QUE JE ME SOIS PÉTÉ LES 5 ONGLES DE LA MAIN !
vous avez un nouveau message
ÇA Y EST, MA MÈRE M'A COMMUNIQUÉ L'IDENTITÉ DE L'AMOUREUX SECRET DE MARIE-LUNE !
Marie-Lune, je suis fan de toi. Tu es superbe dans la pub Pécu n°5 !
TU TE FOUS DE MOI, KA ?
QUOI ?
OU TU ME PRENDS POUR UNE IDIOTE ?
QUAND TU AS CONFONDU UN LEGGING AVEC UN CORSAIRE, J'AURAIS DÛ M'EN DOUTER !
C'EST TOI MON ADMIRATEUR SECRET !
ÇA VA PAS ! T'ES FOLLE !?
TU ES LA SEULE AU COURANT POUR LA PUB PÉCU ! DIS-MOI LA VÉRITÉ !
C'ÉTAIT POUR TE RÉCONFORTER DE TA DISPUTE AVEC ANNE-SO. J'AI VOULU TE CHANGER LES IDÉES, TE PROUVER QUE TU N'ÉTAIS PAS NULLE...
ET PUIS JE T'AIMAIS ET JE NE SAVAIS PAS COMMENT TE LE DIRE !!!
C'EST KA, L'AMOUREUSE SECRÈTE DE MARIE-LUNE ?
YEARK ! ON ABANDONNE ! IMPOSSIBLE DE RACONTER DE TELLES HORREURS DANS NOTRE JOURNAL !!!

KA EST UNE SOEUR VRAIMENT MERVEILLEUSE. À PRÉSENT, JE SUIS PRÊTE À TOUS LES SACRIFICES POUR ELLE...
... COMME ALLER FAIRE LES COURSES AU SUPERMARCHÉ !
TIENS ! MARIE-LUNE, ENCORE EN TRAIN DE FAIRE DU SHOPPING ?
EXISTE-T-IL QUELQU'UN DE PLUS ACCRO QUE TOI DANS LE MONDE ?
MA MÈRE, SANS DOUTE ! C'EST MÊME POUR ÇA QU'ELLE NOUS A ABANDONNÉES, MA SOEUR ET MOI. AVEC DEUX BÉBÉS, ELLE N'AVAIT PAS LE TEMPS DE S'ADONNER À SA PASSION !
EN FAISANT DU SHOPPING, J'ESSAIE D'ÊTRE PLUS PROCHE D'ELLE... DE COMPRENDRE POURQUOI ELLE A PRÉFÉRÉ LE SHOPPING À NOUS !
Y'A DES JOURS OÙ ELLE ME MANQUE TROP, ALORS JE HANTE LES MAGASINS EN PENSANT À ELLE.
ET J'ACHÈTE LE PLUS DE CHOSES POSSIBLES. JE VEUX ÊTRE LA PLUS JOLIE LE JOUR OÙ ELLE REVIENDRA. COMME ÇA, ELLE N'AURA PLUS ENVIE DE PARTIR !
FAIS PAS CETTE TÊTE ! TU VAS À UN ENTERREMENT ?
C'EST QUE... EUH... JE SUIS DÉSOLÉ POUR TA MAMAN... JE NE SAVAIS PAS...
MARIE-LUNE, SOIS RAISONNABLE, IL N'Y A PAS DE HONTE À ACHETER DES TAMPONS !
ALLEZ, SORS !
PAS AVANT UNE BONNE CENTAINE DE MILLIONS D'ANNÉES !
NE SOIS PAS MAL À L'AISE !
EST-CE QUE JE SUIS GÊNÉE, MOI ?
MADEMOISELLE, VOUS VOUS SOUVENEZ DU PRIX DE CES TAMPONS HYGIÉNIQUES ?
!?!?!

UNE BONNE CENTAINE DE MILLIONS D'ANNÉES PLUS TARD...
C'EST GÉNIAL QUE TU VEUILLES DEVENIR UN MEMBRE ACTIF DE L'ASSOCIATION DE DON DU SANG DE MATHIEU !
JE LUI DOIS BIEN ÇA...

C'EST LA SEULE PERSONNE, DEPUIS LONGTEMPS, QUI SEMBLAIT DÉSOLÉE QU'ON AIT ÉTÉ ABANDONNÉES PAR MAMAN.
COMME TU FAIS BONNE IMPRESSION, TU POURRAIS ACCUEILLIR LES DONNEURS POTENTIELS ? QU'EN PENSES-TU ?

D'HABITUDE, LES GENS PENSENT QUE JE N'AI PAS À ÊTRE MALHEUREUSE SIMPLEMENT PARCE QUE JE SUIS RICHE !
TU POURRAIS AUSSI DISTRIBUER DES TRACTS ?

ILS ME JUGENT SANS APPRENDRE À ME CONNAÎTRE...
ET COLLER DES AFFICHES DANS LA RUE ? C'EST PAS COMPLIQUÉ...
JE NE LE REMERCIERAI JAMAIS ASSEZ DE S'ÊTRE EXCUSÉ DE M'AVOIR JUGÉE TROP VITE.

C'EST GÉNIAL ! ON VA FAIRE DE GRANDES CHOSES TOUTES LES DEUX ! JE SUIS TELLEMENT CONTENTE !
VLAN

ALORS, PAR QUOI TU VEUX DÉBUTER ?
L'ACCUEIL ? LES TRACTS ? LES AFFICHES ?

JE POURRAIS COMMENCER PAR DONNER MON SANG ?
iiiiiik

QUE M'ARRIVE-T-IL ? JE SUIS JALOUSE DE MA SOEUR
DING DONG
C'EST MATHIEU !
PAS LA PEINE DE CRIER, JE SUIS PAS SOURDE !
OOOH ! TON BOUQUET EST MAGNIFIQUE !
UNE SEULE FLEUR, ÇA S'APPELLE UN BOUQUET ?
JE TE CHERCHE LE DOSSIER. J'ARRIVE !
QU'EST-CE QUE TU PENSES DE CETTE BAGUE ?
BOF... TU SAIS, KA N'EST PAS TRÈS BIJOU ! OFFRE-LUI PLUTÔT UN LIVRE !
CROIX ROUGE
ON POURRAIT OBTENIR DES TÉMOIGNAGES DE PERSONNES TRANSFUSÉES.
POUR QU'ELLES RACONTENT COMMENT LE DON DU SANG LES A AIDÉES.
CELA SENSIBILISERA LES GENS ET LEUR PERMETTRA DE COMPRENDRE QU'UN SIMPLE GESTE PEUT SAUVER UNE VIE.
BON... BEN... J'Y VAIS, MOI !
C'EST PAS VRAI !
CE N'EST PAS POSSIBLE !
NON, J'Y CROIS PAS !
SE POURRAIT-IL QUE...
EH BEN, MA CHÈRE MARIE-LUNE, QUE VOUS ARRIVE-T-IL ?
JE SUIS AMOUREUSE !
?
EUH... NON MAIS Y'A UN MALENTENDU, LÀ !
J'AI TRÈS BIEN COMPRIS ! DANS MES BRAS, MON AMOUR !

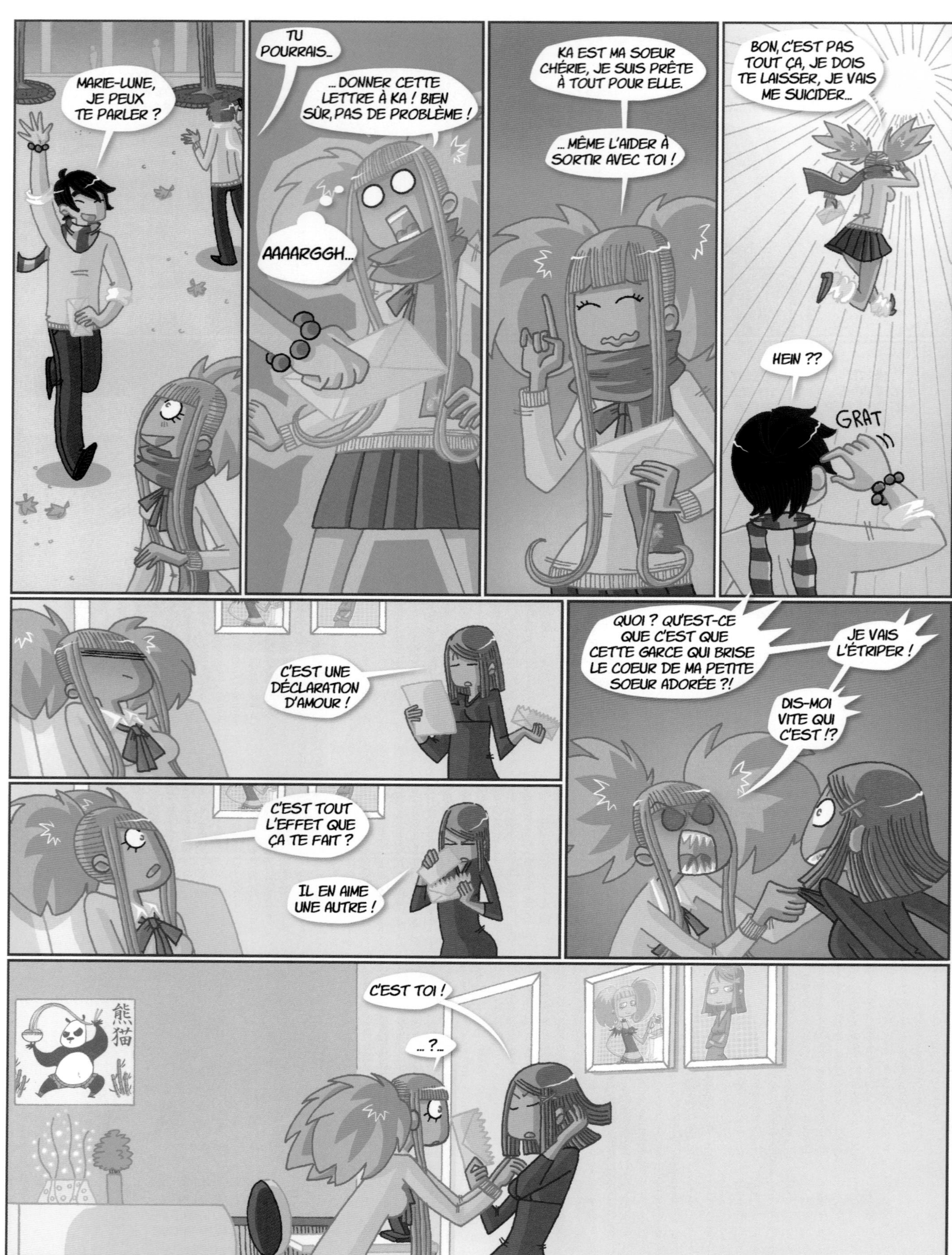
MARIE-LUNE, JE PEUX TE PARLER ?
TU POURRAIS...
... DONNER CETTE LETTRE À KA ! BIEN SÛR, PAS DE PROBLÈME !
AAAARGGH...
KA EST MA SOEUR CHÉRIE, JE SUIS PRÊTE À TOUT POUR ELLE.
... MÊME L'AIDER À SORTIR AVEC TOI !
BON, C'EST PAS TOUT ÇA, JE DOIS TE LAISSER, JE VAIS ME SUICIDER...
HEIN ??
GRAT
C'EST UNE DÉCLARATION D'AMOUR !
C'EST TOUT L'EFFET QUE ÇA TE FAIT ?
IL EN AIME UNE AUTRE !
QUOI ? QU'EST-CE QUE C'EST QUE CETTE GARCE QUI BRISE LE COEUR DE MA PETITE SOEUR ADORÉE ?!
JE VAIS L'ÉTRIPER !
DIS-MOI VITE QUI C'EST !?
C'EST TOI !
... ?...
熊猫

Ma Marie-Lune,
Quand je me suis aperçu que j'étais amoureux de toi, j'ai eu tous les jours envie de te voir...
DING DONG
Ne sachant pas comment t'avouer mon amour, j'ai tenté le langage des fleurs...
ROSE ROUGE = JE T'AIME
J'ai essayé de connaître tes goûts afin de t'offrir un cadeau
CROIX ROUGE
Je crois que j'ai eu le coup de foudre quand tu t'es confiée au sujet de ta mère...
Parfois, tu me troublais tellement que je n'osais te regarder et ne m'adressais qu'à ta sœur.
Lors de notre première rencontre, ce n'est pas à toi que j'ai dit :
COMMENT UN MEC PEUT-IL RÉSISTER À UNE FILLE AUSSI JOLIE QUE TOI ?
Mais je l'ai pensé dès que je t'ai vue.
Malheureusement, tu m'as ignoré...
C'est donc dans l'appréhension que je te demande aujourd'hui : m'aimes-tu ? Je dois partir quelques jours à New York... Que me répondras-tu à mon retour ?

VOUS, VOUS ÊTES AMOUREUSE !
HIIIIII ! COMMENT AVEZ-VOUS DEVINÉ ?

C'EST PARCE QUE JE ROUGIS À CHAQUE FOIS QUE JE PENSE À LUI, C'EST ÇA ?

VOUS AVEZ ENTENDU MON COEUR QUI BAT TROP FORT, N'EST-CE PAS ? C'EST VRAI, EN CE MOMENT, IL EST EN EXCÈS DE VITESSE !

AH ÇA, ON PEUT DIRE QU'IL Y A DE L'ÉLECTRICITÉ DANS L'AIR DEPUIS MON COUP DE FOUDRE...

QU'EST-CE QUE C'EST AGRÉABLE D'ÊTRE COMPRISE PAR SON PSY...
C'EST MON MÉTIER, MADEMOISELLE...

ET SI VOUS M'EN DISIEZ UN PETIT PEU PLUS SUR CE NOUVEL AMOUR ? COMMENT EST-IL ?

IL EST ..., IL EST... IL EST...

IL EST PRATIQUE ?
PRATIQUE ? COMMENT ÇA,PRATIQUE ?...

C'EST BIEN D'UN NOUVEAU SAC À MAIN DONT VOUS ME PARLEZ !
...

PAS ÉTONNANT QUE MON PSY ME PRENNE POUR UNE DINGUE DE SHOPPING...
39°8... J'APPELLE LE TOUBIB !
APPELLE PLUTÔT UN STYLISTE DE MODE !
JE SUIS ATTEINTE DE FIÈVRE ACHETEUSE !

LA CONTAMINATION SE FAIT DÈS QUE J'APPROCHE D'UN MAGASIN...
JE RESSENS RIEN DU TOUT !
CETTE INFECTION TOUCHE ESSENTIELLEMENT LES INDIVIDUS DE SEXE FÉMININ...
SI ÇA SE TROUVE T'ES UN GARÇON !

POUR FAIRE BAISSER LA FIÈVRE, LE TRAITEMENT EST ASSEZ LOURD
TOUT ÇA ?
BEN OUI... J'AI FAIT UNE GROSSE POUSSÉE DE TEMPÉRATURE...

MON PSY A TOUT ESSAYÉ...
POUR CALMER VOTRE FIÈVRE, IL FAUT VOUS IMMERGER DANS UN BAIN TIÈDE !
UN BAIN DE FOULE DANS LA NOUVELLE BOUTIQUE DIAR, ÇA IRAIT ?

RIEN N'Y FAIT...
VOUS ALLEZ PRENDRE DU DEXEMOXYL ET DU DOLICRANE...
JE PEUX PAS REMPLACER PAR UN ENSEMBLE DE LINGERIE ET UN SAC À MAIN ?

MAIS C'EST NORMAL : JE NE VEUX PAS GUÉRIR...
LA FIÈVRE ACHETEUSE, C'EST LA SEULE MALADIE AU MONDE QUI ME RENDE SUBLIMISSIME !

CONFERENCE DU DOCTEUR SHELDON COOPER LUNDI 15h AMPHI A1
TU ES SÛRE QUE ÇA NE TE DÉRANGE PAS SI JE SORS AVEC MATHIEU ?
MAIS NON, JE TE DIS ! C'EST UN TRÈS BON COPAIN, C'EST TOUT, JE NE SUIS PAS AMOUREUSE DE LUI !
CONFERENCE DU DOCTEUR SHELDON COOPER LUNDI 15h AMPHI A1
TU N'AS PAS TOUJOURS DIT ÇA...
FAUT VRAIMENT ÊTRE DÉBILE COMME TOI POUR NE PAS AIMER CE GARÇON !
EXCUSE-MOI, JE SUIS NOUVELLE ICI... JE CHERCHE LA SECONDE 9.
C'EST MA CLASSE ! ON VA ÊTRE ENSEMBLE ALORS !
JE VAIS T'ACCOMPAGNER !
MERCI, C'EST SYMPA !
JE T'EN PRIE, ÇA ME CHANGE DE VOIR DES NOUVELLES TÊTES !
AU FAIT, MOI C'EST ANNE-SO.
ENCHANTÉE, JE M'APPELLE PÉNÉLOPE !
SI TU NE VEUX PAS QU'ANNE-SO TE REMPLACE, TU DOIS AGIR !
AAARGHL ! QU'EST-CE QUE JE PEUX FAIRE ?
IL FAUT QUE J'ÉLIMINE CETTE FILLE.
JE LA NOIE, JE L'EMBROCHE, JE L'ASPHYXIE ?
J'AI UNE SOLUTION PLUS RAISONNABLE ! IL NOUS FAUT DU PAPIER TOILETTE !
DU PQ POUR ÉTRANGLER QUELQU'UN ?
TU FERAIS UN DRÔLE DE SERIAL KILLER, TOI !

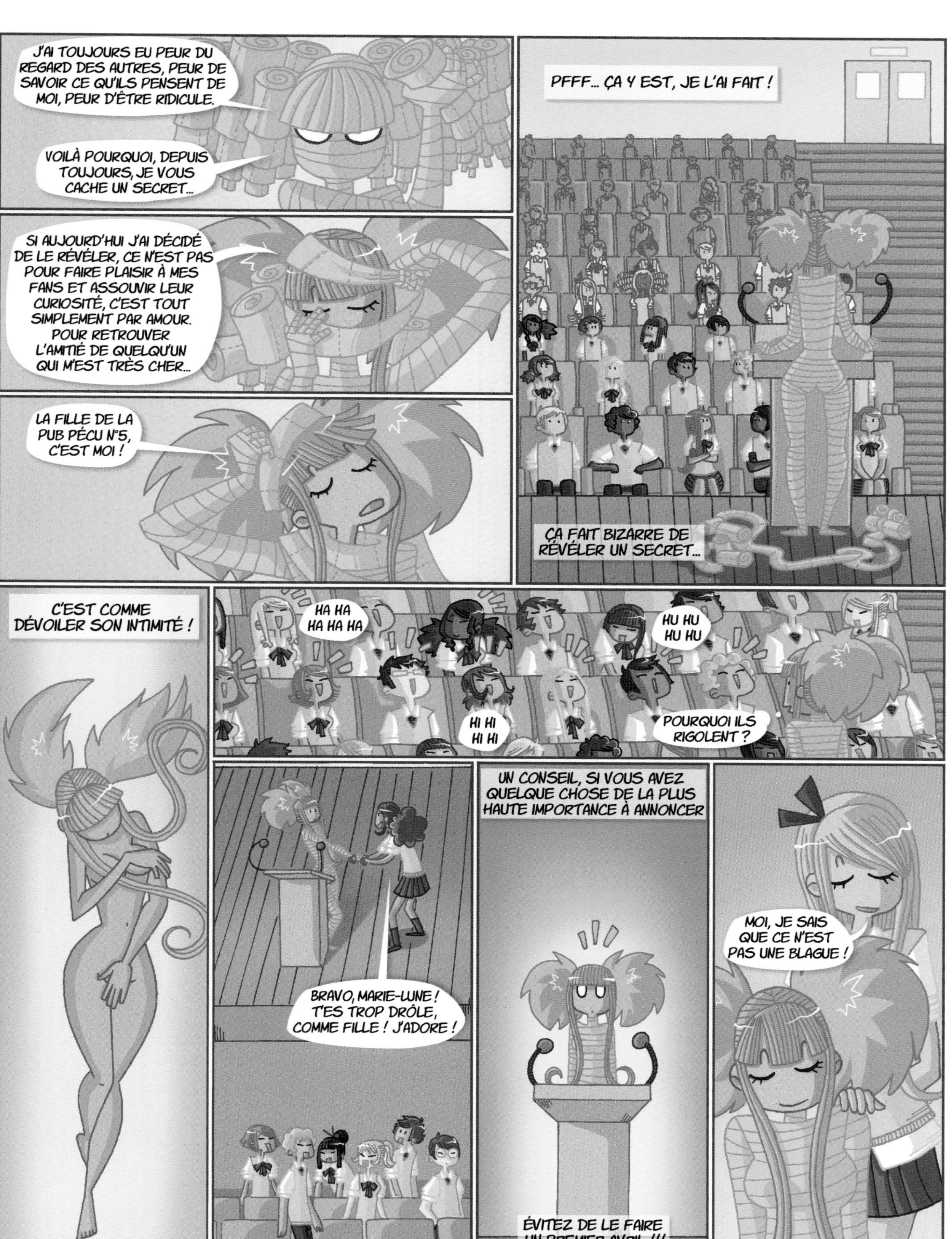
J'AI TOUJOURS EU PEUR DU REGARD DES AUTRES, PEUR DE SAVOIR CE QU'ILS PENSENT DE MOI, PEUR D'ÊTRE RIDICULE.
VOILÀ POURQUOI, DEPUIS TOUJOURS, JE VOUS CACHE UN SECRET...
SI AUJOURD'HUI J'AI DÉCIDÉ DE LE RÉVÉLER, CE N'EST PAS POUR FAIRE PLAISIR À MES FANS ET ASSOUVIR LEUR CURIOSITÉ, C'EST TOUT SIMPLEMENT PAR AMOUR. POUR RETROUVER L'AMITIÉ DE QUELQU'UN QUI M'EST TRÈS CHER...
LA FILLE DE LA PUB PÉCU N°5, C'EST MOI !
PFFF... ÇA Y EST, JE L'AI FAIT !
ÇA FAIT BIZARRE DE RÉVÉLER UN SECRET...
C'EST COMME DÉVOILER SON INTIMITÉ !
HA HA HA HA HA
HU HU HU HU
HI HI HI HI
POURQUOI ILS RIGOLENT ?
BRAVO, MARIE-LUNE ! T'ES TROP DRÔLE, COMME FILLE ! J'ADORE !
UN CONSEIL, SI VOUS AVEZ QUELQUE CHOSE DE LA PLUS HAUTE IMPORTANCE À ANNONCER
!!!
ÉVITEZ DE LE FAIRE UN PREMIER AVRIL !!!
MOI, JE SAIS QUE CE N'EST PAS UNE BLAGUE !

COMMENT TU ME TROUVES ?
POURQUOI TU N'AS PAS DEMANDÉ À ANNE-SO DE T'ACCOMPAGNER POUR CHOISIR TA TENUE DE SOIRÉE ? VOUS ÊTES RÉCONCILIÉES, MAINTENANT !
ELLE EST EN PLEINS PRÉPARATIFS POUR NOTRE SOIRÉE.
ELLE VA NOUS REJOINDRE DÈS QU'ELLE A FINI AVEC LE TRAITEUR !
DIS DONC, ELLE EST PAS UN PEU TROP LARGE, CETTE ROBE ?
NON, JE LA TROUVE BIEN !
CELLE-LÀ FAIT UN PEU MÉMÈRE, NON ?
NON, ELLE EST PLUTÔT JOLIE !
BERK ! CELLE-LÀ, ELLE EST HORRIBLE !
OK ! JE LA PRENDS !
ÇA Y EST, ME VOILÀ, J'AI FINI !
MARIE-LUNE, TU ES TOPISSIME ! TU VAS ÊTRE LA REINE DE MA SOIRÉE PYJAMA !
QUOI ?! ÇA FAIT DES HEURES QUE TU ESSAIES DES ROBES DU SOIR ?...
POURQUOI T'AS PAS ACHETÉ UN PYJAMA, TOUT SIMPLEMENT ?
???
MAIS, KA ! CETTE ROBE EST UN PYJAMA !
BEN OUI, PUISQU'UN PYJAMA C'EST UNE TENUE QU'ON MET LE SOIR !

JE CROYAIS QUE PERDRE SA MEILLEURE AMIE ÉTAIT LA PIRE CHOSE QUI PUISSE M'ARRIVER. JE ME TROMPAIS...
AAAAAA AAARGGL !
QU'EST-CE QUI SE PASSE, MARIE-LUNE ?
Y'A UN VOLEUR ?
TU T'ES FAIT AGRESSER ?
T'AS VU UNE ARAIGNÉE ?
TU N'AS PLUS DE VERNIS À ONGLES ?
J'AI UN ÉNORME BOUTON SUR LE NEZ !
TU PARLES, ON NE LE VOIT MÊME PAS !
MOI JE NE VOIS QUE LUI ! IL FAUT FAIRE QUELQUE CHOSE !
VIIIIITE !
T'AS QU'À TE METTRE ÇA SUR LA TÊTE !
N'IMPORTE QUOI !
T'AS TORT, C'EST UN SAC JIMMY SHOW, ÇA T'IRAIT TRÈS BIEN !
AH OUI, SUPER IDÉE ! JE VAIS METTRE MES NOUVELLES JIMMY SHOW !
!!
DES CHAUSSURES POUR CACHER UN BOUTON ? TRÈS CLASSE !
MA PAUVRE KA, TU NE COMPRENDRAS JAMAIS RIEN À RIEN !
PENDANT QUE TOUT LE MONDE S'EXTASIE SUR MES CHAUSSURES...
... PERSONNE NE REMARQUE MON BOUTON SUR LE NEZ !
ELLES SONT SUPER, TES CHAUSSURES !
JE VEUX LES MÊMES !
J'ADORE LEUR COULEUR !

QUAND JE FAIS LE BILAN DE TOUTE CETTE AVENTURE, JE ME DIS QUE CETTE DISPUTE AVEC ANNE-SO A ÉTÉ BÉNÉFIQUE...
C'EST PAS PLUS MAL QUE PERSONNE N'AIT COMPRIS TON PETIT SECRET !
TU AURAIS ÉTÉ LA CIBLE DES MOQUERIES LES PLUS SCABREUSES...
QUAND ON A DU CARACTÈRE ON S'EN FOUT, MAIS TOI TU ES TROP FRAGILE POUR L'INSTANT.
TU N'AS PAS ENCORE ASSEZ CONFIANCE EN TOI.
JE T'AIDERAI À GARDER TON SECRET BIEN AU CHAUD !
... SANS CELA JE NE ME SERAIS JAMAIS RENDU COMPTE COMBIEN ELLE EST MERVEILLEUSE !
JE NE ME SERAIS JAMAIS APERÇUE COMBIEN MA SOEUR M'AIME...
MARIE-LUNE, JE VAIS TE TUER !
T'ES SÛRE QU'ELLE T'ADORE ?
MAIS OUI, AVANT ELLE VOULAIT M'ANÉANTIR ! AUJOURD'HUI ELLE VEUT ME TUER, C'EST QUAND MÊME PLUS SYMPA !
JE N'AURAIS JAMAIS EU LE COURAGE DE RENONCER À PIERRE-CHARLES
AUCUNE IDÉE !
C'EST L'ENTREPRISE DE TON PÈRE, TU DOIS BIEN SAVOIR QUI EST CETTE FILLE !
ET SURTOUT, JE N'AURAIS JAMAIS SYMPATHISÉ AVEC JDL
MERCI DE M'AVOIR PARLÉ DE VOTRE SECRET !
C'EST POUR ME FAIRE PARDONNER DE NE PAS T'AIMER... D'AMOUR !
C'EST UN MEC VRAIMENT FORMIDABLE...
C'EST PIERRE-CHARLES, CELUI QUE VOUS AIMEZ ?
EUH... OUI !
MIEUX VAUT NE RIEN DIRE TANT QUE CE N'EST PAS OFFICIEL !
JE VEUX VOUS AIDER À LE CONQUÉRIR !
...ET JE CROIS BIEN QU'IL VA DEVENIR L'UN DE MES MEILLEURS AMIS

J'AI DEUX PLACES POUR UN WEEK-END EN AMOUREUX, ÇA TE DIT ?
DÉSOLÉE, JE NE SUIS PAS LIBRE !
MAIS... JE NE T'AI PAS ENCORE DONNÉ LA DATE !?
EH BEN DIS DONC, IL A L'AIR FOU DE TOI, CE GARÇON.
IL NE M'INTÉRESSE PLUS, C'EST TROP TARD.
C'EST MATHIEU QUE J'AIME, MAINTENANT...
OUPS ! J'AI PARLÉ TROP VITE !
TU DOIS LE CONNAÎTRE, ANNE-SO M'A DIT QUE TU ÉTAIS DANS LA MÊME ÉCOLE QUE LUI À NEW YORK !
JE L'AI VU AVANT TOI !
LA ROBE ? C'EST PAS VRAI, JE VIENS DE LA PRENDRE !
NON ! MATHIEU ! IL EST À MOI !
C'ÉTAIT MON PETIT AMI À NEW YORK. JE L'AI SUIVI EN FRANCE PARCE QUE JE NE VEUX PAS QU'IL ME QUITTE.
C'EST L'HOMME DE MA VIE. RIEN NE POURRA NOUS SÉPARER !
SI TU SORS AVEC LUI, JE RÉVÈLE À TOUTE L'ÉCOLE TON PETIT SECRET.
JE T'AI ENTENDUE EN PARLER AVEC JDL.
JE M'EN FOUS, J'AI FAILLI TOUT DIRE L'AUTRE JOUR ! JE RECOMMENCERAI.
PERSONNE NE T'A CRUE ! NORMAL ! C'EST TROP LA HONTE D'IMAGINER QUE LA REINE DU GLAMOUR SOIT LA REINE DU PAPIER TOILETTE !
GLPS !
MAIS... JE SUIS AMOUREUSE...
OUBLIE-LE !
ET LUI... IL M'AIME AUSSI !
TROUVE UN MOYEN POUR QU'IL TE DÉTESTE, SINON...

Douyé/Yllya 27/11/2009

FIN